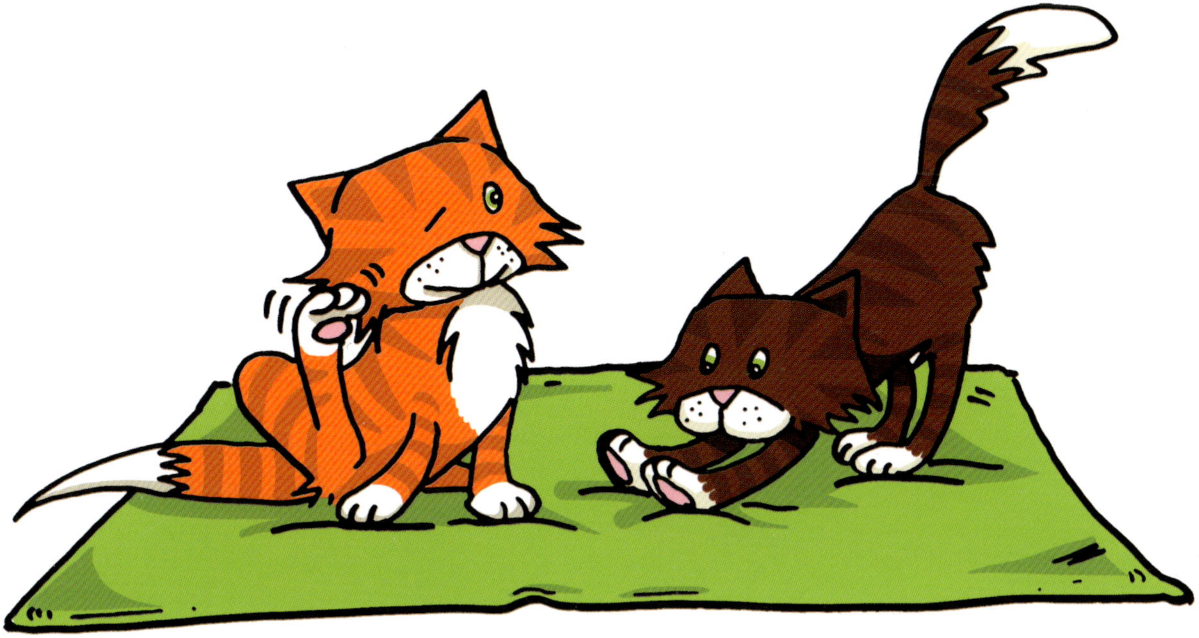

cats on a mat

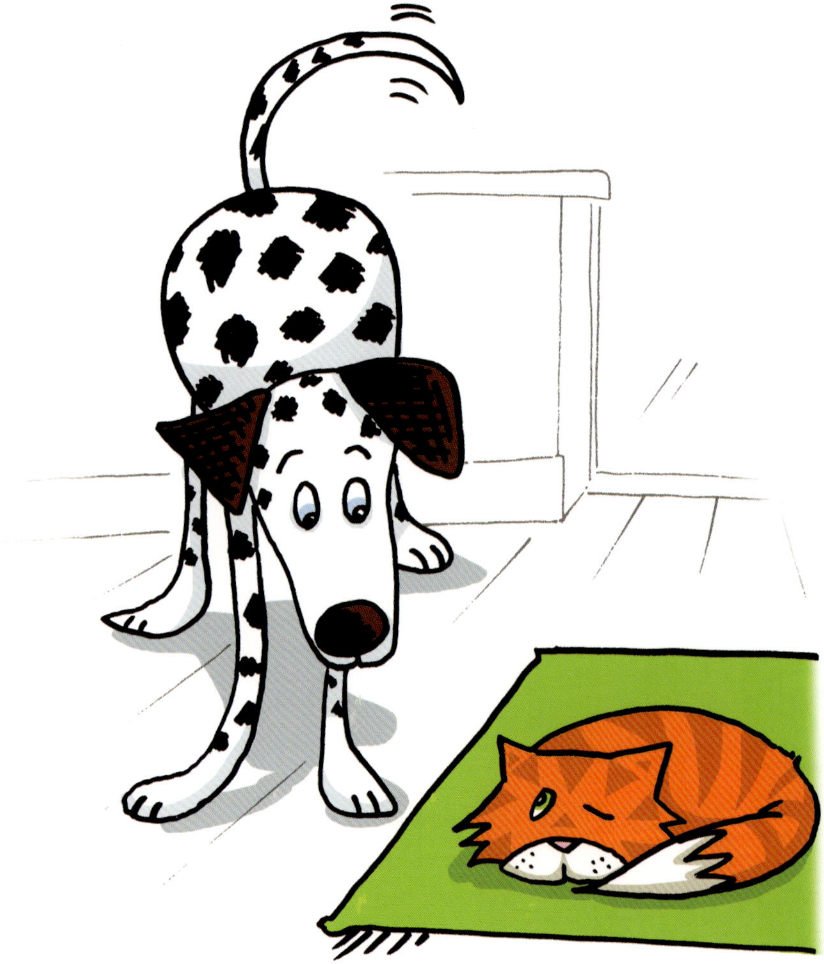

a big dog

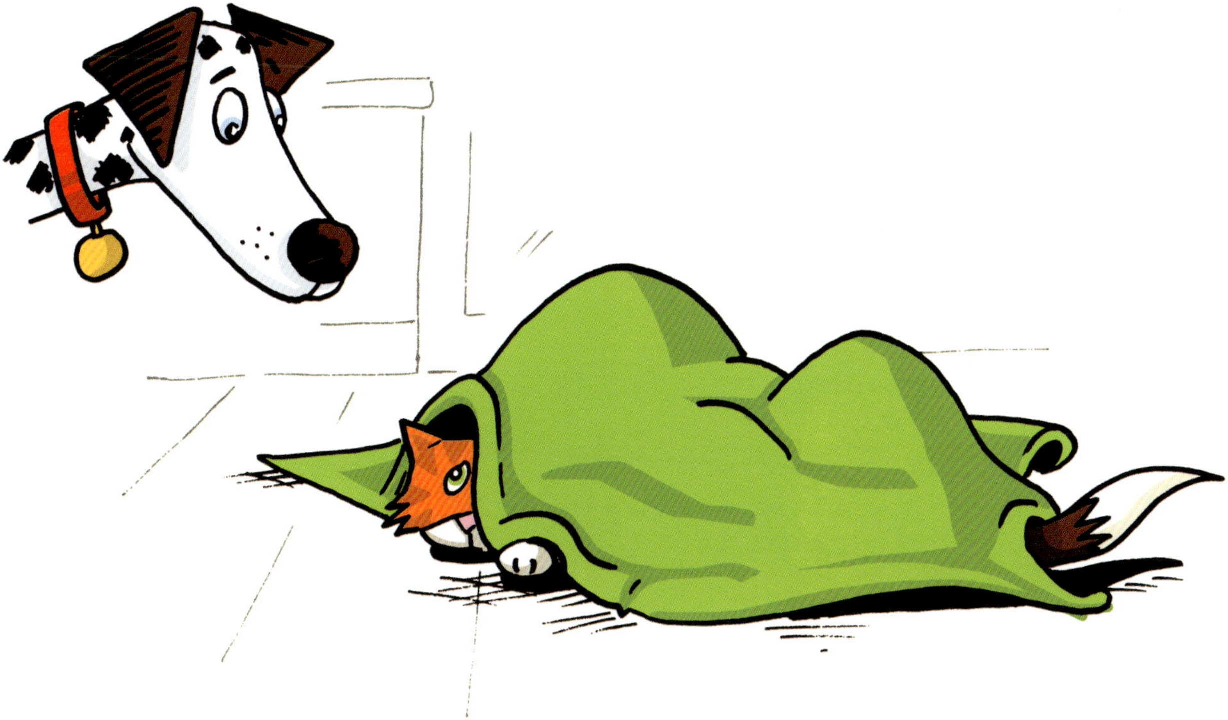

a mat on cats

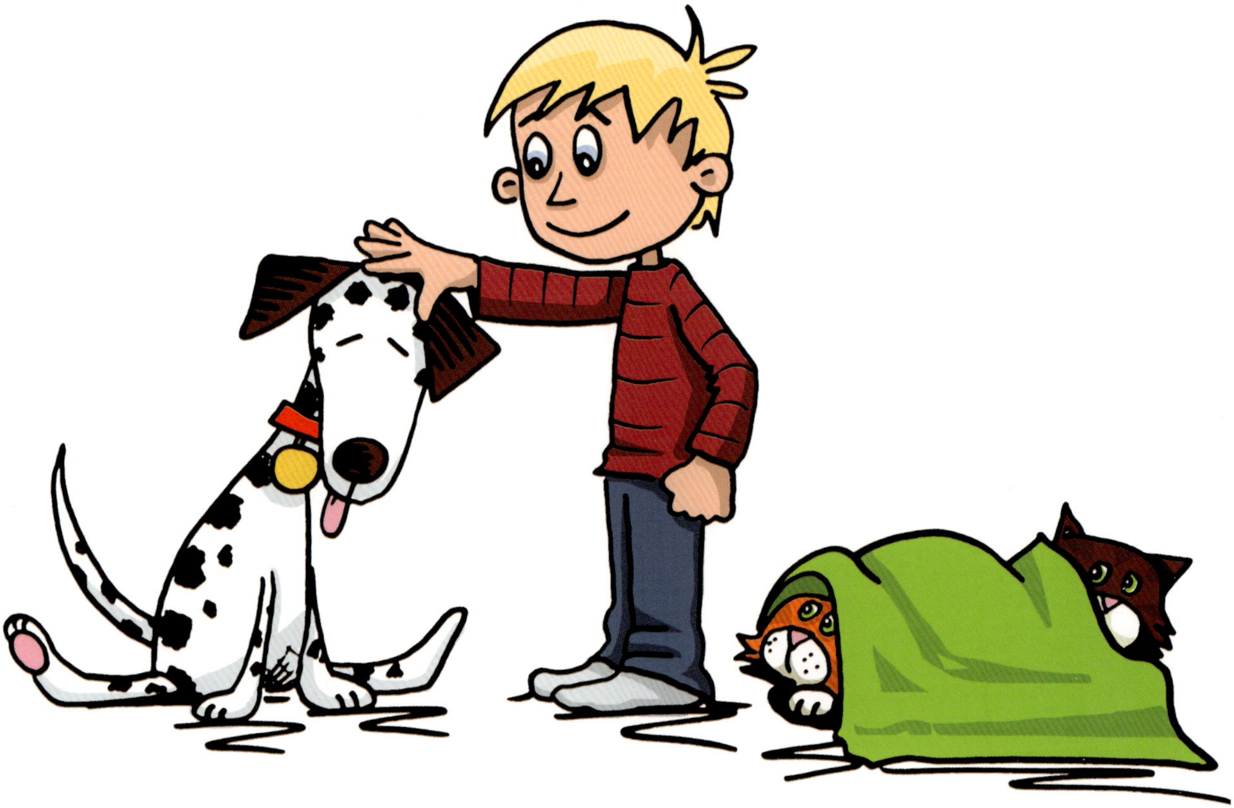

Tom and a big dog

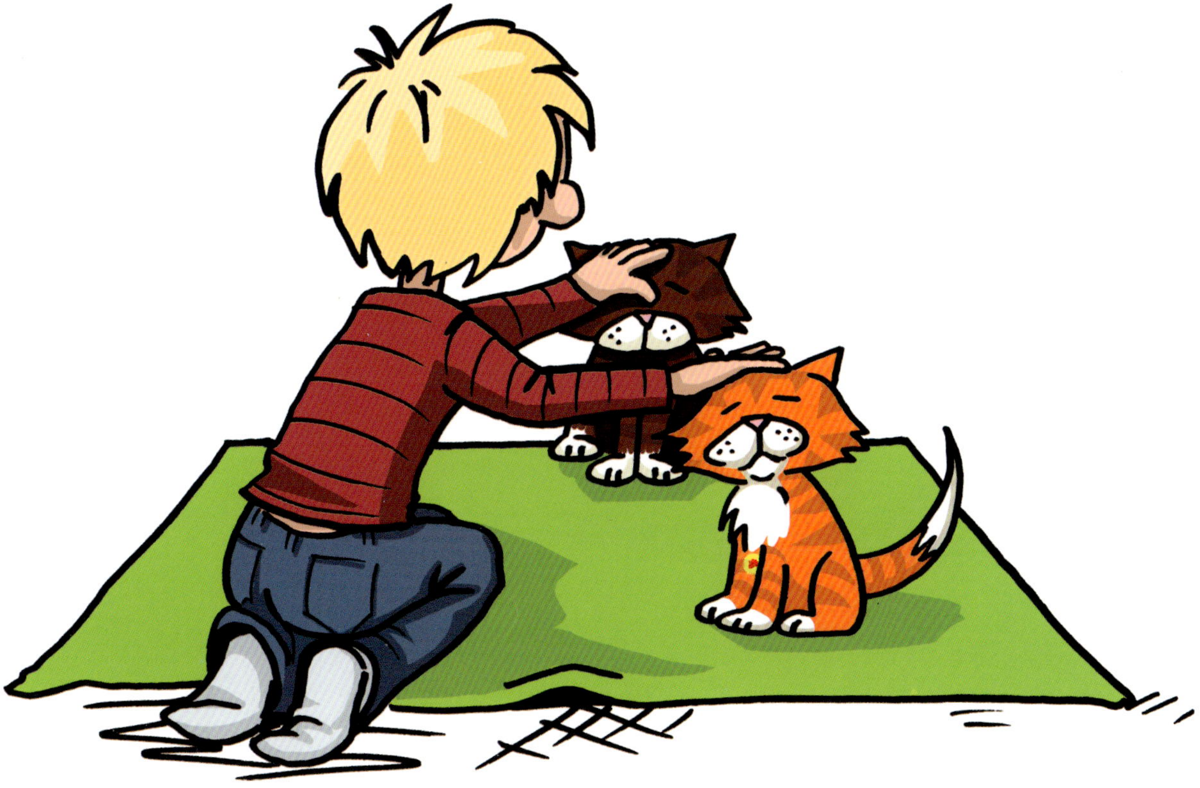

Tom and cats
on a mat

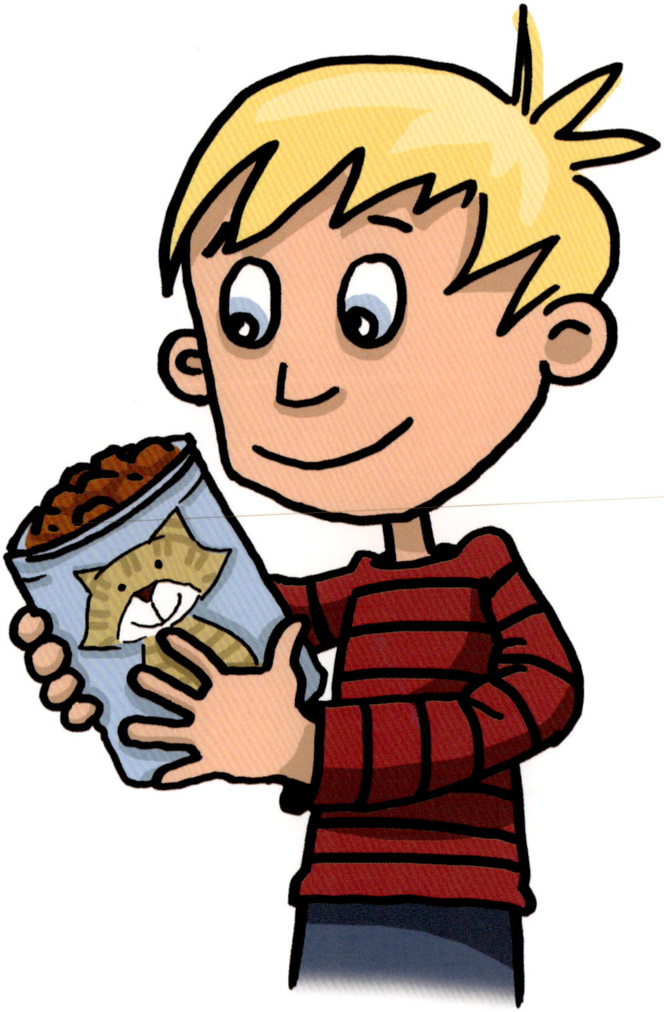

a big tin

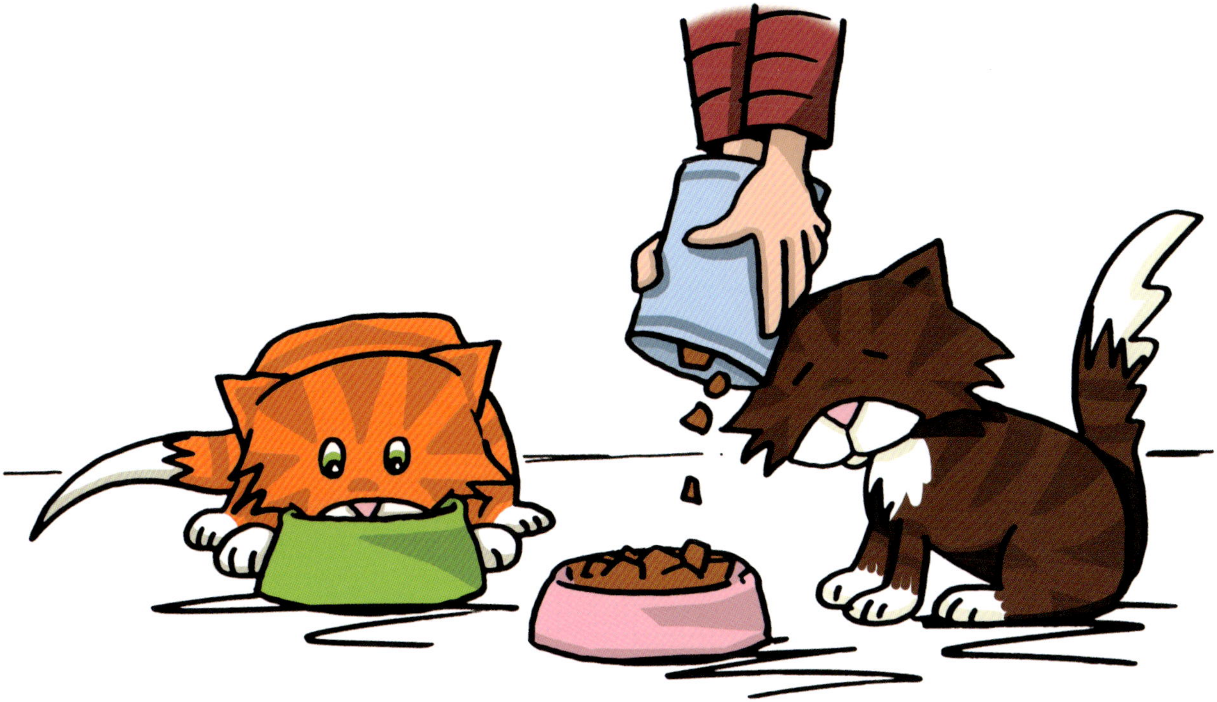

cats and a big tin

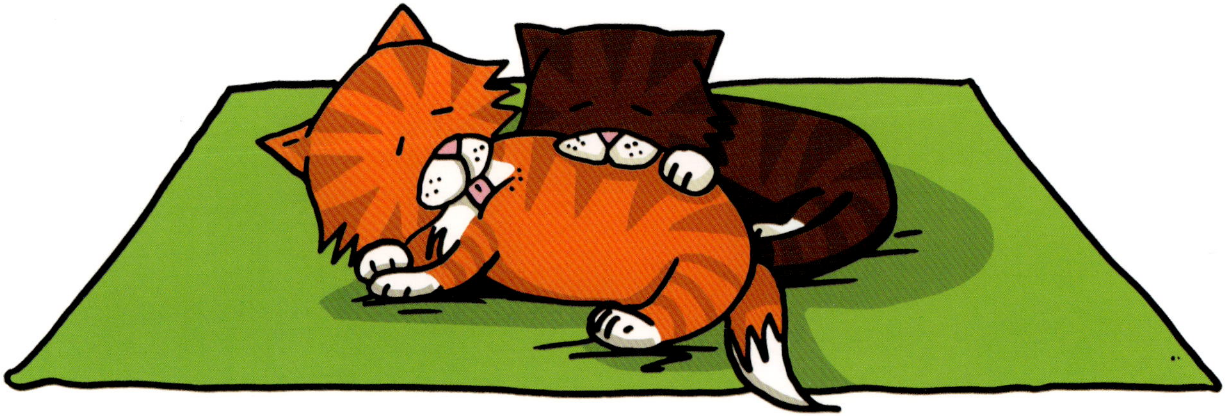

fat cats on a mat